ISBN 978-2-211-09301-9
Première édition dans la collection *lutin poche* : octobre 2008
© 2005, l'école des loisirs, Paris
Loi numéro 49 956 du 16 juillet 1949 sur les publications
destinées à la jeunesse : février 2005
Dépôt légal : octobre 2016
Imprimé en France par Clerc SAS à Saint-Amand-Montrond

bisinski · sanders

POP

mange de toutes les couleurs

les lutins de l'école des loisirs
11, rue de Sèvres, Paris 6ᵉ

Quand il était petit,
Pop le dinosaure ne buvait que du lait,
du bon lait...

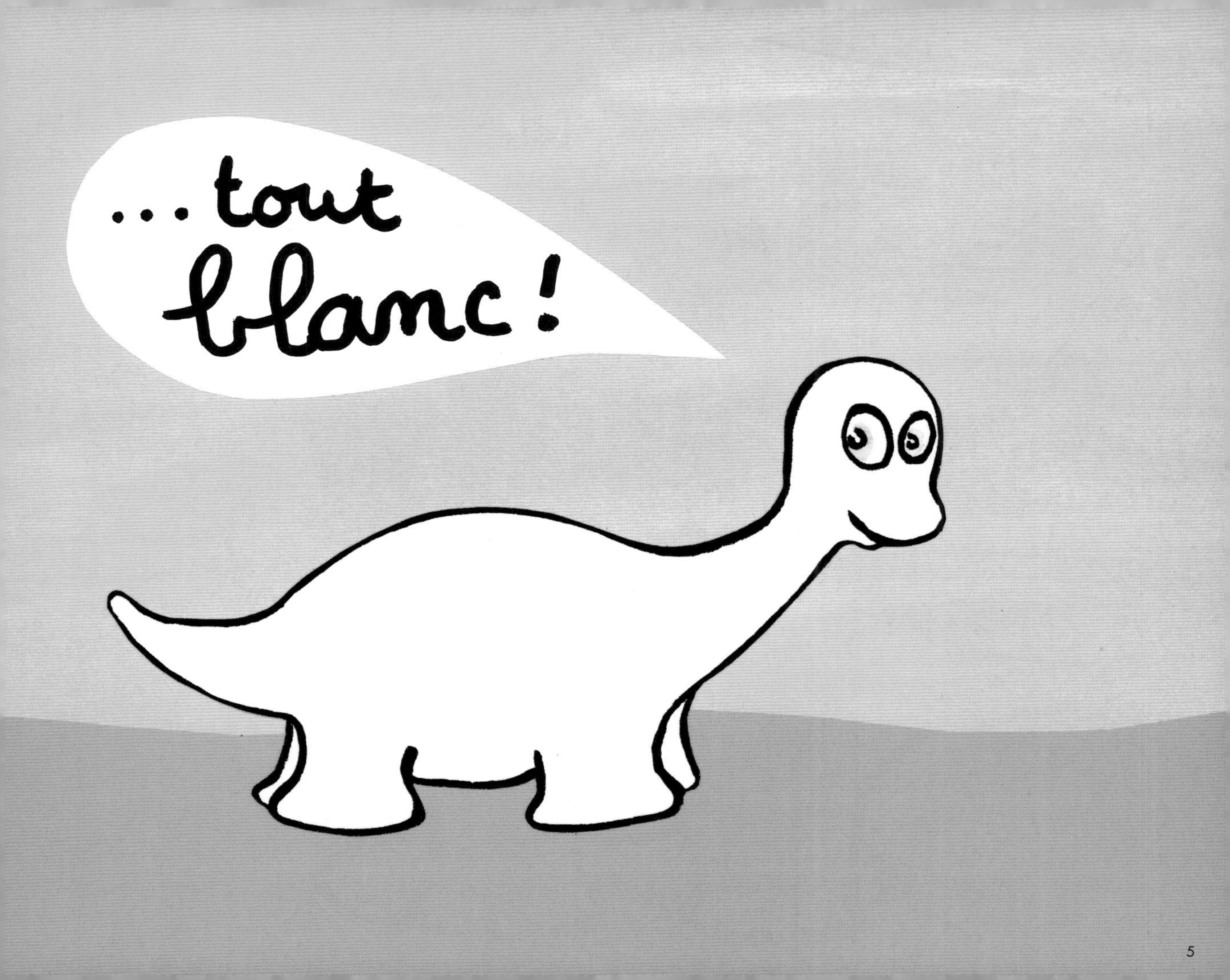
... tout blanc !

Un jour,
Pop découvre des bananes
sur un bananier.

Un peu plus tard,
Pop trouve des petits pois…

Oh ! Regarde !
Je suis devenu tout
vert
comme toi petite
grenouille !

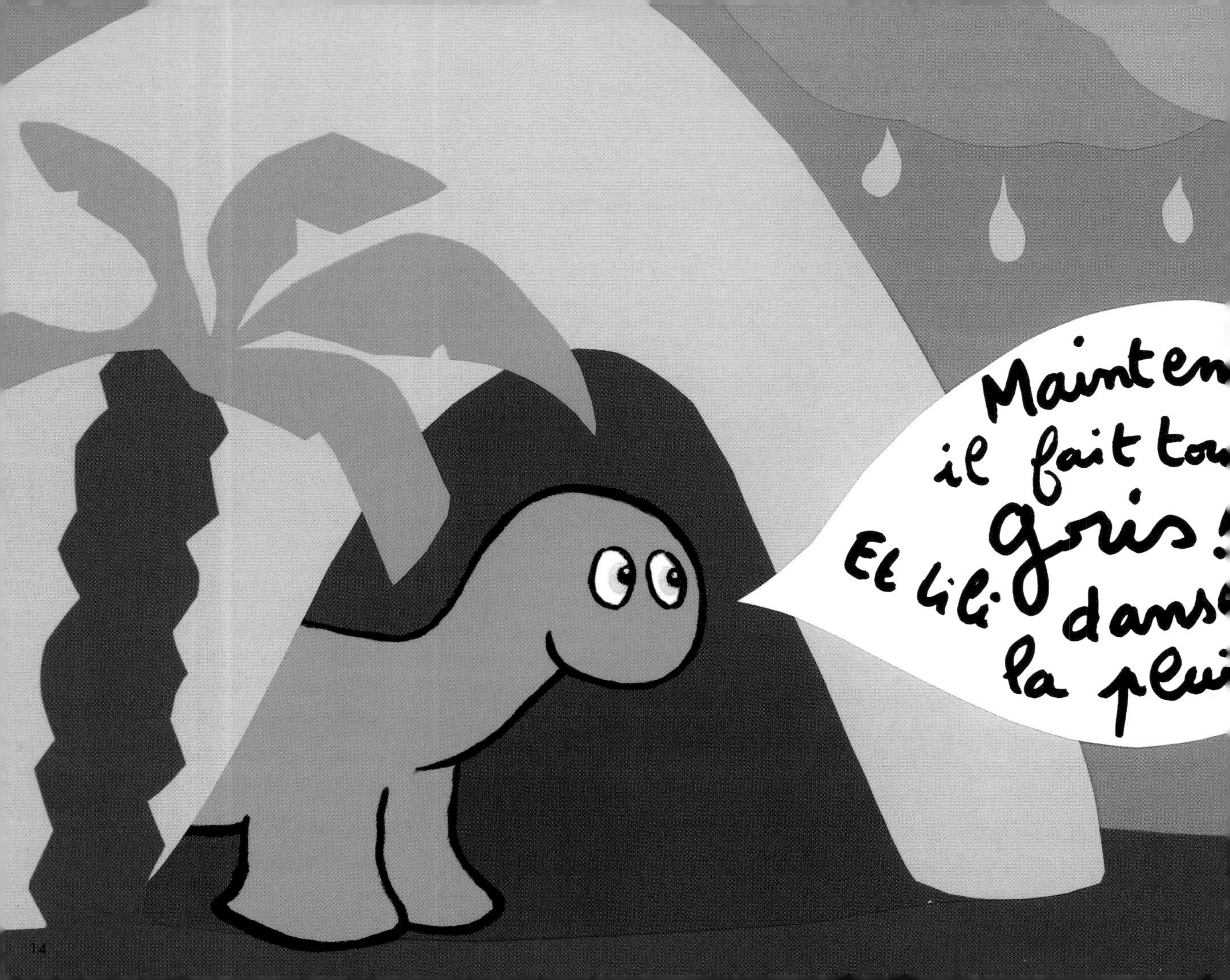
Mainten
il fait tou
gris !
Et lili dans
la plui

Dans l'arc-en-ciel il y a du ORANGE comme les oranges et du VIOLET comm les raisins

C'est rigolo,
je suis devenu
tout rayé Orange
et violet...

d'hui
is manger
es couleurs
ert, de l'orange
u rouge,
, du marron...

Bon
appétit
Pop!

Et voilà ! Pop est devenu un magnifique petit dinosaure multicolore !